i giorni del TERREMOTO

Commento di Piero Magi

Edizioni BS/Documenti

Fotografi: Foto Sud

Operatori:
Guglielmo Esposito, Antonio Troncone,
Giacomo di Laurenzio, Mario Siano.
pagg. 2; 3; 4; 5; 6; 7; 8; 9; 10; 11; 12; 13; 14; 15; 16; 17; 18; 19; 20 (in basso);
22 (in alto); 23; 24; 26; 27; 29; 30; 36; 38; 41; 47; 48; 49; 50; 52;
53 (in alto e al centro); 54; 55; 56; 61; 62 (in basso).

Foto Moggi: 20 (in alto); 21; 22 (in basso); 31; 32; 33; 34; 35.

Renda Enzio: 16; 17; 25; 28; 37; 39; 40; 42; 43; 44; 45; 46; 51; 53 (in basso);
57; 58; 59; 60; 62 (in alto); 63.

Autorizzazione del Tribunale di Firenze
n° 2792 del 3 ottobre 1979
Supplemento

Collana documenti - 1 -

Il sismografo che ha registrato la scossa.

L'ora della terribile scossa viene drammaticamente segnata sul sismografo: il pennino ''salta'' dal grafico.

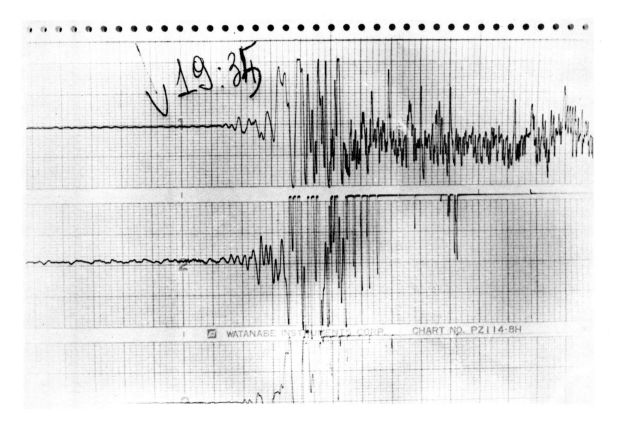

QUELLA DOMENICA SERA

23 Novembre 1980. Domenica. La notizia arriva qualche minuto prima delle venti ma ci vuole gran parte della notte per rendersi conto delle sue reali dimensioni. Le telescriventi battono in continuazione dispacci, uno più angoscioso dell'altro. Sono ancora frammenti vaghi: difficile farsi un'idea di quel che è successo basandosi sulla contraddittoria, sebbene già tragica, contabilità del numero delle vittime, che ora sembra contenuto, ora invece prefigura la catastrofe.

Soltanto più tardi, intorno alle undici, le pagine dei giornali, già pronte dalla prima sera, saltano definitivamente una dopo l'altra. La prima viene rifatta, buttata giù, rifatta di nuovo.

E' una domenica opaca, scarna di avvenimenti. La signora Thatcher è arrivata a Roma con un aereo chiamato "Mistère 20" per una breve permanenza di ventiquattr'ore. Avrà un colloquio con il presidente Forlani sui problemi dell'Europa e su quelli del Golfo Persico. Sandro Pertini è rientrato a Roma - soddisfatto, dicono le agenzie - da un viaggio in Grecia durato quattro giorni.

Che altro c'è in questa domenica? Di inconsueto solo una curiosità sportiva: le squadre in testa al massimo campionato di calcio - la Roma, l'Inter e la Fiorentina - sono uscite tutte sconfitte. Con la conseguenza che, ora, otto squadre stanno pigiate, una a ridosso dell'altra nel piccolo spazio di due soli punti.

Una domenica scolorita. Muto per un giorno anche il grande scandalo che ha travolto la Guardia di Finanza, i servizi segreti e qualche isolato e non impolitico, speculatore. Si è parlato - sinistra coincidenza - di "grande terremoto politico".

Alle undici della notte tutto finisce nelle pagine interne, salvo la signora Thatcher che, in omaggio all'ufficialità della visita, trova un posto in prima pagina, ma di modesto rilievo.

Questa domenica sera ha un tragico sussulto un istante prima che i giornali, con i loro titoli, ne sanzionino il totale ma anche confortante grigiore.

Gli strumenti hanno stabilito l'ora: sono le 19,36 minuti e 4 secondi. Dura poco l'inizio di un dramma destinato a durare molto. Per un minuto, uno solo ma interminabile, la terra è squassata da un'onda sismica di inaudita potenza. Gli esperti stabiliscono che la violenza del terremoto è stata, nel suo culmine, tra il nono e il decimo grado della scala Mercalli. Poi qualcuno mitigherà. Non c'è comunque da farsi soverchie illusioni. Un'agenzia di stampa che si sofferma sulle conseguenze di una simile scossa, giunge in anticipo rispetto alle notizie dai luoghi disastrati. Si sa insomma che cosa potrebbe accadere ancora prima di sapere che cosa è successo. Fino all'ora in cui i giornali chiudono le pagine questa domenica è una domenica interminabile e oppressiva. Eccone una cronaca affidata alla memoria e mutilata dall'emozione.

Si parla di decine di morti. Appena un'ora dopo sono già centinaia. Tutta l'Italia meridionale è scossa dal terremoto ma le regioni più colpite sembrano la Campania e la Basilicata. Il numero delle vittime cresce di minuto in minuto; al numero dei morti si somma quello dei feriti e dei senzatetto. Si fanno previsioni angosciose.

Le prime ore dopo la scossa: i napoletani si riversano sulle strade, intasando il traffico.

I napoletani raccolti in preghiera invocano S. Gennaro davanti a un busto del santo.

Tra i centri colpiti è anche Napoli. Sono crollati alcuni palazzi, la gente, terrorizzata, si è riversata sulle strade. Interminabili colonne di automobili cercano una via d'uscita verso la campagna. Il traffico è caotico: il capoluogo si spopola.

La gente ha fatto appena in tempo a prendere con sé l'indispensabile per vivere fuori il minimo necessario al ritorno della normalità. Ma nessuno sa, in cuor suo, se potrà rientrare a casa. La radio ha detto che la scossa potrebbe ripetersi e che, a quella, potrebbero seguirne altre di minore intensità ma egualmente distruttive, dato che molte abitazioni hanno riportato lesioni gravi.

Ovunque l'opera di soccorso appare difficile. Le linee elettriche e telefoniche sono saltate. Da Roma in giù è il silenzio. Le comunicazioni fra le zone terremotate e la sala operativa della protezione civile, al Viminale, sono interrotte, né hanno per il momento, alcuna possibilità di essere ripristinate. La penisola è tagliata in due. Capita spesso, anche senza il terremoto.

Alla prima notizia del disastro, la difesa civile ha mobilitato uomini e mezzi, è riuscita a mettere insieme quel poco di cui dispone. Alcune autocolonne sono partite anche da Firenze, altre da Bologna. Da Roma si sono mossi alla volta della Campania e della Basilicata reparti dell'esercito, dei vigili del fuoco e battaglioni mobili di carabinieri e polizia.

Continuano ad arrivare notizie scucite e frammentarie. Napoli è ancora al centro dell'attenzione ma si sospetta che nell'interno, in Basilicata e sui monti dell'Irpinia, il disastro si chiami già catastrofe.

Napoli è nel caos. Nella popolosa zona di Poggioreale, un palazzo di nove piani si è abbattuto come un castello di carte. Vi abitavano una ventina di

Via Stadera, a Napoli: si cerca di recuperare i primi corpi.

Anche lo Sferisterio non è stato risparmiato dalla scossa.

Nelle pagine seguenti, tre drammatiche immagini dei primi interventi al palazzo di Via Stadera.

In quattro immagini, tutto il dramma di via Stadera: le escavatrici al lavoro, si portano via i corpi, la desolante veduta delle bare, un mucchio di fotografie testimoniano una vita che si è improvvisamente spezzata.

Nelle pagine seguenti: ci si accampa all'aperto, in qualsiasi posto: la paura è ancora troppa perché i napoletani tornino nelle loro case.

famiglie: di loro non si sa nulla. Qualcuno dice che sono tutte scomparse sotto l'enorme cumulo di macerie. In città altre costruzioni sono crollate: i quartieri popolari hanno un gran numero di case lesionate.

Non si sa nulla, per il momento, circa il numero delle vittime. Ogni tanto si apprende una notizia allarmante ma non è possibile farsi un'idea precisa della situazione. Una strabocchevole folla di napoletani si è riversata alla stazione ferroviaria, ma lì stagna e ondeggia, impaurita e tumultuosa. Alle ferrovie dicono che appena sarà possibile verranno avviati alcuni convogli. Per ora quelli che possono partire sono pochi e, quei pochi, vengono presi d'assalto.

Da Roma, invece, è il deserto. I treni sono bloccati. La circolazione ferroviaria verso il Sud è completamente paralizzata. I convogli vengono fermati alla stazione di Formia per dar modo ai tecnici di effettuare ricognizioni sulle strutture che potrebbero aver subìto danni: i ponti, le gallerie, le linee elettriche.

A Napoli la situazione diventa presto critica. Le piazze sono affollate di gente che alza tende o che si sistema alla meglio dentro improvvisati ripari. C'è chi corre al porto e trova rifugio addirittura dentro i "containers" marittimi. La fiumana delle automobili in fuga crea ostacolo agli ostacoli. Ormai la folla è in preda al pànico. Fermarla non è più possibile.

Giunge la notizia di un grave episodio: il carcere di Poggioreale è in rivolta. Anche le detenute della prigione femminile di Pozzuoli si sono ammutinate. La paura del terremoto e l'ansia di libertà hanno spinto i carcerati alla ribellione. A Poggioreale un gruppo di loro ha disarmato alcuni agenti di custodia tentando di fuggire. Intorno al penitenziario si è stretta una cintura armata di carabinieri e di polizia. Gruppi speciali di agenti sono penetrati nel carcere per sedare il tumulto. Hanno dovuto fare uso di lacrimogeni. Anche la prigione di Pozzuoli è circondata. La calma torna nel giro di poche ore ma la prefettura ritiene opportuno mantenere in allarme i reparti per prevenire altri colpi di mano.

La folla che intasa le strade e le piazze nel centro di Napoli impedisce, spesso, l'arrivo dei soccorsi. I quartieri colpiti sono stati raggiunti fra mille difficoltà. Gli automobilisti hanno bloccato tutte le strade di accesso dall'esterno e reso intransitabili quelle dello scorrimento urbano.

Intanto si comincia a far luce su quel che è successo nelle zone interne. Soprattutto in Basilicata dove sembra che il disastro sia immane. Sono

Ci si rifugia dove si può: nei vagoni ferroviari, negli autobus, sulle
motonavi della Tirrenia, perfino nei "containers" al porto.

E' martedì 25: il Presidente Pertini, accompagnato dal Presidente del Consiglio Forlani, arriva all'aereoporto di Capodichino.

Al centro operativo del Commiliter si organizzano i primi soccorsi.

Arriva anche il pontefice per portare una parola di conforto ai terremotati.

Il commissario straordinario, onorevole Giuseppe Zamberletti, durante una conferenza stampa.

notizie ancora incomplete, ma ognuna reca un frammento penoso e scopre angosciose realtà. L'Irpinia appare come una zona morente.

Le squadre di soccorso, quelle poche entrate subito in attività, cercano di aprirsi un passaggio verso i territori montani. La mappa del disastro si estende da Salerno al Sannio, dalle valli di Diano a Mercato San Severino. Sono indicazioni che già prefigurano l'ampiezza del dramma. Non tutti i nomi dei centri rasi al suolo si conoscono ancora. Verranno, un po' alla volta, durante la notte.

Nelle zone colpite si lavora come si può, con grande spirito di abnegazione ma non si ripara alle più elementari necessità.

Ora la situazione è più chiara. Purtroppo è anche disastrosa.

Cominciano ad arrivare i primi testimoni della catastrofe: raccontano particolari agghiaccianti. Tutto il Sud è in allarme. Intorno alle undici il Ministero dell'Interno fa sapere che "la situazione più grave" si registra in tre province: ad Avellino, a Potenza e a Salerno.

I dispacci di agenzia non danno ancora un'immagine completa di ciò che è accaduto. Sono pagine e pagine di episodi slegati ma tutti egualmente tragici dietro i quali si avverte uno scenario catastrofico. Si stenta a credere.

Ad Ariano Irpino è crollato il campanile della chiesa, lo stesso che fu lesionato nel terremoto del 1962. A Telese è crollata un'ala della casa di cura: si scava fra le macerie alla ricerca dei ricoverati che mancano all'appello. Richieste di soccorso vengono da ogni parte: da Ricigliano, da Selvitello, da San Gregorio Magno, da Palomonte. Una radio militare trasmette un messaggio urgente: dice che a Rionero in Vulture vi sono decine di morti e che sotto le macerie i sepolti urlano e gemono. Si spera ancora che il dramma sia circoscritto alle cose già gravi che si sono sapute fin qui. Poco prima di mezzanotte si fa un primo bilancio delle vittime di Napoli: i morti sono trentotto. Cresceranno in nottata. Par-

Nella pagina seguente: ciò che resta di un fabbricato nuovo a S. Angelo dei Lombardi.

Un orologio segna l'ora della terribile scossa che ha sconvolto il paese.

Uno squarcio in una abitazione mostra il desolante interno.

Nelle pagine seguenti: si aspetta di dare una definitiva sepoltura ai primi corpi ritrovati.

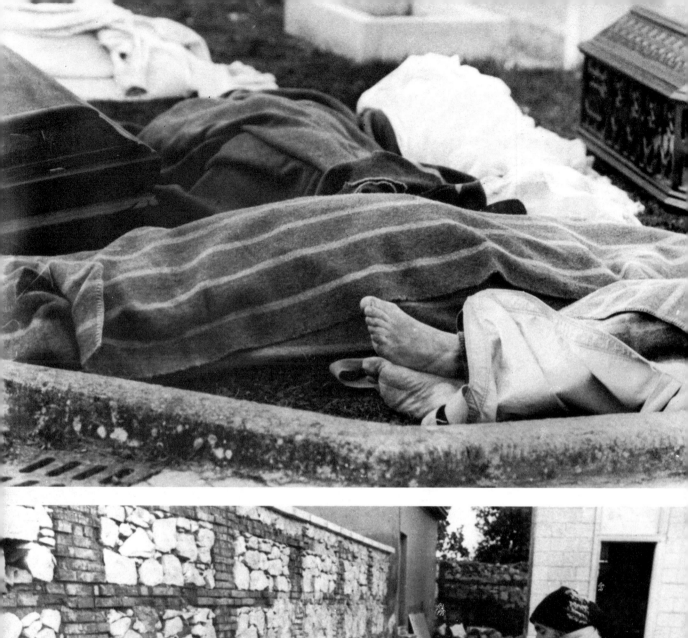

Tre strazianti
immagini colte a
S. Angelo dei
Lombardi.

ticolari della tragedia continuano ad arrivare alla sala operativa del Viminale. La notte è inquieta, le ore passano tra tentativi, non tutti fortunati, di organizzare i soccorsi.

Sopra le zone colpite è calata la nebbia. Si fa il gran silenzio della notte. Gli appelli si moltiplicano. Nulla è sufficiente: non bastano le fotoelettriche, né gli uomini, né i mezzi da scavo. Soltanto nelle prime ore di lunedì si riesce ad avere la mappa geografica delle distruzioni. Secondo i sismologi è come fossero esplose contemporaneamente centocinquanta bombe atomiche del tipo di quelle che caddero sul Giappone.

Ora nessuno si nasconde più la verità. Le province più disastrate sono sette: Napoli, Caserta, Salerno, Avellino, Potenza, Bari e Matera. Le più povere. Il numero delle vittime è alto, alcuni dicono altissimo, altri impressionante. Si parla ormai di mille morti accertati. Ma si capisce subito che è la punta di un iceberg.

La macchina dei soccorsi è all'opera ma è ancora debole e

Nelle pagine precedenti: l'ospedale a S. Angelo dei Lombardi si è come accasciato su se stesso; in una immagine di un interno, tutta la violenza della scossa sismica; arrivano i primi soccorsi a S. Angelo dei Lombardi.

Calabritto ha subìto, come tanti altri paesi limitrofi, le terribili conseguenze della scossa.

I soccorsi, quelli ufficiali, non sono ancora arrivati. Si scava come si può, con le sole mani.

Si cerca di aprirsi un varco nell'immenso cumulo di macerie che ostruisce ogni accesso possibile per la salvezza di una vita umana.

La veduta di una casa completamente sventrata dal terremoto.

Nelle pagine seguenti: ancora due immagini dei primi soccorsi a Calabritto, mentre il paese assume sempre più l'aspetto di una "città morta".

non si muove speditamente. Come sempre in ogni disastro naturale, corrono in aiuto i radioamatori. Forse senza di loro la situazione sarebbe ancora più critica di quel che è: ed è purtroppo disperata.

Si fa l'elenco dei nomi dei paesi distrutti: è una prima anagrafe incompleta. Altri se ne aggiungeranno. Mancano all'elenco di morte i centri dove più duramente si è abbattuto il sisma: Sant'Angelo dei Lombardi, Santomenna, Lioni, Calabritto, Balvano, Conza. L'alta Irpinia tace.

Si tenta un primo calcolo del territorio interessato al sisma. Dovrebbe essere una zona di oltre ventiseimila chilometri quadrati, un esagono irregolare che si estende dal Tirreno all'Adriatico con un'altezza massima di una settantina di chilometri e una base di duecento. In questa superficie vivono, all'incirca, sette milioni di persone suddivise in 649 comuni. Si cerca di stabilire quali siano, dentro il terribile esagono, le ripartizioni di danni e di vittime. Le prime osservazioni forniscono dati che interessano soprattutto le province di Napoli, Salerno, Avellino e Potenza. Sembra questa la parte più ferita. Un totale di 15.400 chilometri quadrati, con oltre 5 milioni di abitanti divisi in 466 comuni. Nella provincia di Napoli i comuni sono 89, in quella di Salerno 157, in quella di Avellino 112 e in quella di Potenza 100.

Le ore trascorrono in assurde e luttuose contabilità. Con qualche autorità scientifica viene contraddetto che la violenza del sisma si collochi, come era stato annunciato, fra il nono e il decimo grado della scala Mercalli. Qualcuno scrive: "Il decimo grado della scala Mercalli comprende la distruzione dell'80/90 per cento delle costruzioni in muratura, gravi danni a opere in cemento armato come dighe e

In cinque immagini, le dimensioni della tragedia che ha sconvolto Calabritto: il marciapiede si è come sollevato sotto l'immane spinta dal basso.

San Mango sul Calore: è come se una enorme mano si fosse abbattuta sul paese.

Solo una fotografia, scaraventata in mezzo alla strada, testimonia che una volta lì c'era la vita.

altre opere idrauliche, abbattimento di linee elettriche aeree, distruzione di oleodotti, metanodotti, linee ferroviarie, frane rilevanti, fuoriuscita di acqua dai fiumi, laghi naturali ed artificiali. Ora tutto ciò - prosegue lo studioso - non è accaduto. Una valutazione più ragionevole colloca il sisma intorno al settimo-ottavo grado della scala Mercalli (fortissimo e rovinoso) equivalente a una *magnitudo* fra 6,5 e 6,8 della scala Richter. In altre parole la potenza distruttiva di una bomba termonucleare di medio-piccola potenza". Sarà. Ma non se ne conforta nessuno. Anche perché pochi sanno che cosa sia accaduto in realtà nei paesi disseminati nell'alta Irpinia, in zone montuose, difficilmente accessibili, isolate durante l'inverno dalla neve, non organizzate per sopravvivere a un simile evento.

Le colonne dei soccorsi sono ora tutte in movimento ma sono trascorse più di venti ore dalla scossa micidiale. Ottomila uomini sono pronti a intervenire.

Quando i primi elicotteri si alzano per sorvolare le zone colpite, il panorama si mostra finalmente in tutta la sua drammatica verità. Sant'Angelo dei Lombardi, Balvano, Lioni, per dire soltanto tre degli innumerevoli comuni colpiti, sono paesi che fanno da emblema al resto delle rovine: quelle già viste e quelle che ancora restano da scoprire.

Immense chiazze di macerie nel verde dei boschi. Paesi polverizzati, centri in cui è rimasto in piedi un solo scheletro murario, come la cupola di Hiroshima.

I soccorritori sono in ritardo sulle necessità dell'intervento. Li ha ostacolati la nebbia, li ha fermati l'irrazionalità del traffico sulle strade, la mancanza di un immediato e lucido coordinamento, la povertà dei mezzi, lo sgomento dovuto all'improvvisazione, il muro delle difficoltà. Compresa quella di una natura ostile e impervia che resiste a ogni tentativo di sottomissione. Il quadro che si presenta ai volontari e ai soldati è comune a tutti i paesi che rimarranno ormai simbolo spettrale di questa rovinosa domenica: una completa e agghiacciante desolazione. I sopravvissuti hanno scavato fra le macerie durante tutta la notte, in completa solitudine, le mani scorticate, alla ricerca di un sepolto vivo o di una vittima cui dare più dignitoso riposo. Da soli, al buio, al freddo della notte, fra le lacrime, la stanchezza, il dolore. Un silenzio sepolcrale lacerato soltanto dalle urla di aiuto, dai gemiti dei feriti. Non una goccia d'acqua, non un filo di speranza, nulla. Un lavoro disumano, una ricerca il più delle volte vana. La ricchezza in queste ore disperatamente notturne si chiama torcia elettrica, piccone, energia fisica, coraggio umano. Chi ha una coperta da buttarsi addosso è già felice;

Entrano in azione i cani
particolarmente
addestrati al recupero
delle vittime.

Una pietosa copertura
per un'ennesima vittima
appena dissepolta.

Un gruppo di vigili del
fuoco lavora alla ricerca
di sopravvissuti o,
purtroppo, di nuove
vittime.

Un triste corteo porta,
attraverso le macerie,
un corpo ritrovato.

In un'agghiacciante sequenza
fotografica, la scoperta di un
altro cadavere.

Le bare si trasportano così come
si può, sopra a qualsiasi mezzo.

Grandi fosse comuni e semplici
croci bianche per ricevere
centinaia e centinaia di bare.

34

Una veduta aerea di Lioni, uno dei centri più colpiti.

Macerie su macerie formano lo stesso allucinante paesaggio.

chi può stringersi al petto il figlio sottratto alle macerie bianco di polvere ma ancora vivo, è toccato dalla mano di Dio. Nessuno ha la forza di organizzare ricerche; pochi potrebbero farlo in questa solitudine immensa.

Si aspettano soccorsi. Potrebbero essere al di là dei tornanti della strada; se ne avverte - o se ne immagina - la presenza.

Dicono che dalla chiesa di Balvano hanno estratto una settantina di corpi: sono vecchi e bambini. Gli uomini abili al lavoro sono salvi perché non vivono in paese: sono in Germania, a sudare per quelli rimasti qui. O che c'erano. Quarantotto vecchi e ventidue bambini: li tirano fuori i pompieri arrivati quando ormai non era più possibile salvarli. Assistevano tutti alla Messa, i piccoli si preparavano alla Prima Comunione. La chiesa era affollata. Dice padre Ettore Santoriello, il redentorista che officiava il rito, di avere udito un sordo boato venire dal basso, come un lungo misterioso muggito. La messa era al *Prefatio*. Il prete aveva appena finito di recitare l'invocazione *Sanctus, Sanctus, Sanctus* che la chiesa si è spaccata in due. L'altare si è inclinato, dalle mura si è intravisto l'esterno, si è avvertito l'alito freddo della sera. Poi si è udita una lacerazione tremenda, il tetto si è abbattuto, le sessanta panche affollate di devoti sono state sommerse. La gen-

te è impazzita di terrore. Era in preghiera, assorta, quando gli è caduto addosso il mondo. Poi le grida, la polvere, il terrore, la fuga, le donne calpestate, le pietre, le travi stroncate, le scosse. Come se la mano di Dio, adirata, avesse preso la chiesa e l'avesse sbattuta per punire chissà quale peccato commesso da questa gente triste e povera.

Qui la furia degli elementi: a Poggioreale, intanto, anche la violenza degli uomini. Il tumulto scoppiato nel carcere si è concluso con tre detenuti assassinati da compagni di cella. Un quarto è gravemente ferito. Dicono che morirà. Il terremoto scatena il terrore e il terrore spoglia l'animo umano. Lassù, a Balvano, a Conza, a Lioni, il disperato dolore; qui, a Poggioreale, la furia sanguinaria.

Le notizie affluiscono sempre più terribili. Ormai il quadro è completo e delinea tutta la sua angosciosa realtà. Malgrado la buona volontà dei soccorritori queste ore sembrano ancora le prime dopo la tragedia. E invece ne sono passate più di trenta.

Migliaia le storie umane. La tragedia è tragedia di popolo; il bilancio - ogni singola cifra - è disastroso. Riemergono dalla memoria frammenti di quelle prime emozionanti ore. Laviano e Santomenna, due piccoli centri dell'entroterra salernitano: i comandi militari comunicano che non meno di duemila persone mancano all'appello. Molti sono scappati, altri

Solo il campanile, e altre poche case, emergono sulla grande distesa di rovine.

vagano per i campi. I più sono "sotto". A Laviano sono rimasti in piedi due soli edifici. Uno di questi è la discoteca del paese. A Santomenna mille delle millesettecento persone che vi abitano non si trovano.

Alle cinque del pomeriggio né Santomenna né Laviano avevano ancora visto in viso un soccorritore. Muro Lucano è una città fantasma, Pescopagano un cumulo di macerie: è crollato anche l'ospedale. A Castelgrande, in provincia di Potenza, è morto l'arcivescovo di Frosinone, monsignor Michele Federici. Si era fermato in casa di una nipote. Non ne è più uscito.

Le notizie si accavallano. Una di seguito all'altra raccontano un dramma che non ha più un filo di speranza. E' la catastrofe più grande che abbia colpito il nostro paese. Molto più rovinosa di quelle del Belice e del Friuli. Bisogna riandare ai libri degli ultimi centottanta anni per fare una stima: Molise nel 1801, 5.600 morti; Salerno nel 1857, 12.000 morti; Messina e Reggio Calabria nel 1908, 123.000 morti, il più disastroso di tutti; Avezzano nel 1915, 30.000 morti. Si teme che anche questo si collochi fra i terremoti più luttuosi della nostra troppo luttuosa storia sismica.

Insieme alla constatazione dei danni e delle vittime nascono le prime polemiche. Qualche inviato dei giornali accorso sui luoghi del disastro nota che non

è rimasta in piedi nessuna costruzione di edilizia pubblica. Gli edifici privati, perfino quelli a più piani, hanno retto meglio alla violenza del terremoto. Nel Salernitano è crollato l'ospedale di Oliveto: era nuovo, inaugurato da poco. A Baronissi sono crollate due palazzine della Gescal causando ventotto morti. A Lancusi si sono polverizzati due edifici delle case popolari. Anche qui morti e feriti. La caserma dei vigili del fuoco di Salerno è semidiroccata. Nuova di zecca è caduta alla prima scossa. I pompieri hanno dovuto far uso delle ruspe per liberare le autobotti e poi partire. Disastrati anch'essi in aiuto dei disastrati.

Già qualcuno denuncia che gli edifici costruiti col pubblico denaro non hanno retto al terremoto perché costruiti male e in fretta. Si dice anche che quando verrà il momento di tirare le somme, questo particolare non dovrà essere trascurato. Le nuove costruzioni, specie quelle adibite a pubblico servizio, avrebbero dovuto essere erette con criteri e materiali antisismici perché proprio in queste zone il terremoto ha infierito più volte e perché una legge obbligava i costruttori all'osservanza di severe norme di sicurezza. La legge è caduta nell'oblio, il terremoto ne ha approfittato. Ma non sembra questo il momento adatto per le recriminazioni. Non basta il tempo per contare i morti.

Mentre nelle zone colpite le squadre di soccorso,

Finalmente i primi soccorsi: si portano piatti caldi alla gente rifugiata sotto le tende. C'è chi si arrangia da sé magari accanto alle rovine della propria casa.

civili e militari, si aprono il varco verso i paesi più impervi e lontani, mentre la gente dei centri distrutti fa il conto di ciò che ha perduto, vite umane e le poche cose di un'esistenza che, quando è agiata, non supera i confini della povertà, a Roma il governo è riunito per prendere decisioni. Ha stabilito intanto una giornata di lutto nazionale e ha dichiarato la Campania e la Basilicata regioni "colpite da calamità naturale di particolare gravità". Non ha fissato subito stanziamenti in favore dei terremotati perché non si conoscono ancora, con certezza, i danni. Nominato subito invece con procedura d'urgenza, un commissario straordinario che coordini i soccorsi: è l'onorevole Giuseppe Zamberletti. I friulani lo ricordano, nel maggio del 1976, sui luoghi del disastro. Gli italiani lo chiamano il "Generale Soccorso". Ha una grande esperienza organizzativa; i modi semplici, un'antipatia manifesta e salutare per la burocrazia inutile. Nel 1979 Zamberletti, allora sottosegretario agli esteri nel governo Cossiga, è di nuovo un "generale" in guerra con l'emergenza: in pochi giorni organizza una missione di soccorso sui mari orientali. Parte con tre navi da guerra e torna, dopo due mesi, con mille profughi vietnamiti. Ora è nel Sud, in Campania e in Basilicata, per un salvataggio che appare subito difficile. Le condizioni non sono quelle del Friuli: il terremoto, qui, ha colpito più duramente, il teatro del disastro è infinitamente più vasto, il numero dei morti, quando saranno contati tutti, superiore di almeno quattro o cinque volte quello del '76.

Oggi, lunedì, è partito da Roma il Capo dello Stato. Lo accompagna il presidente del Consiglio Forlani. Pertini lascia la capitale verso mezzogiorno e scende all'aereoporto di Capodichino. In elicottero sorvola poi i luoghi del disastro. Il Presidente ha appreso la notizia del sisma ieri sera, poco dopo essere rientrato dalla Grecia.

Tra le montagne dell'Irpinia l'elicottero presidenziale passa sopra Teora, Conza, Calabritto, Morra de' Sanctis, Laviano. Vola sopra la morte e la distruzione. Pertini chiede di scendere prima a Potenza e poi ad Avellino. Fa sosta anche a Balvano, uno dei paesi di cui è rimasta soltanto l'ombra. Davanti allo spettacolo delle case crollate e della gente lacera e disperata, Pertini, cupo e commosso, non ha parole. Entra in silenzio in una vecchia abitazione, una sola povera stanza dove un'anziana donna piange sul corpo della nipotina adagiata davanti a lei, senza vita. Sosta un attimo, in preda alla commozione, poi piange sommessamente.

In mattinata, alla volta dei paesi terremotati, parte anche il Papa. Insieme alle case, anche le anime sono distrutte.

Altre immagini di rovina: la villetta, di nuova costruzione, si è ripiegata all'indietro, mentre l'antico portone di legno ha resistito al crollo generale dell'edificio.

Alcuni interni di abitazione mostrano le cose come erano prima del grande schianto: l'armadio spalancato che lascia intravedere gli abiti, la credenza con i piatti ancora al loro posto, un televisore rimasto misteriosamente intatto.

LE DUE ITALIE

Il terremoto nel Sud ha provocato un altro sisma, quasi una scossa riflessa. Un "tempo di ritorno", come lo chiamano gli specialisti. Il suo epicentro è Roma. La classe politica, investita dall'onda tellurica, è scesa anche lei sulle strade, coi pochi panni che ha potuto racimolare. Non è uno spettacolo tragico, ma l'emozione è grande.

Le accuse che muove il paese sono molte: inerzia, incompetenza, disorganizzazione, irresponsabilità. Ad accendere i fuochi della polemica è stato lo stesso Presidente Pertini che in una dichiarazione rilasciata alla televisione ha mosso dure critiche al funzionamento dello Stato. Ma sarebbero nate egualmente, anche senza denuncia.

Il ritardo con cui sono giunti i soccorsi nelle zone del disastro aveva già fatto udire le proteste dei sopravvissuti che da ogni parte facevano appelli, chiedevano aiuti, invocavano solidarietà.

Nelle prime quarantotto ore le carenze sono state di un'estrema gravità. Mancava tutto: le ruspe, il pane, i medicinali, le coperte, le tende, le pale, gli indumenti, i picconi, le bare, la luce, tutto. La macchina statale si è messa in moto con lentezza, arrugginita com'è nei suoi meccanismi più elementari.

E' una macchina antiquata continuamente esposta ai guasti che le procura la mancanza quasi totale di manutenzione. La guida una burocrazia disattenta e pigra, più sensibile alle formalità della carta da bollo che non alle necessità reali della istituzione. Ai danni provocati dalla disorganizzazione e dalla lentezza, si sommano i guasti di una classe politica inerte e in certi casi mediocre. I giornali, anche i più moderati, non fan-

La chiesa semidistrutta e il cimitero sono i soli punti di riferimento per un paese che ormai non esiste più.

Adesso si cerca di dissotterrare anche le automobili, forse l'unico lusso che ci si era potuto concedere in tanti anni.

no più mistero di niente. Davanti a un disastro simile, disfunzione e imprevidenza diventano colpe di imperdonabile gravità. Mai come in questo momento due Italie, quella ufficiale, politica e amministrativa, l'Italia dello Stato e del suo apparato pubblico, e l'Italia reale, spontanea ed emotiva, l'Italia privata e generosa, erano venute a così aperto confronto. Non era accaduto nel 1968, nel Belice, né si era potuto constatare in giusta misura nove anni dopo, nel Friuli.

Il Presidente Pertini ha detto che in molte zone colpite, i soccorsi sono arrivati con quarantotto ore di ritardo. Ma lo avevano già denunciato i sindaci, gli amministratori, gli stessi soccorritori. Lo avevano detto le condizioni miserande in cui le squadre di soccorso avevano trovato i superstiti della sciagura, affamati e feriti. Lo avevano già raccontato tutti coloro che, scesi a valle, inseguiti dal terrore, si erano trovati davanti le colonne della salvezza bloccate sulla strada dalla mancanza di coordinamento e dallo sfascio organizzativo.

Forse non è nemmeno vero che lo Stato si sia mosso tardi. Responsabili esponenti del governo hanno assicurato che la macchina si è messa in moto immediatamente, un istante dopo che la tragica notizia era rimbalzata dalle zone del terrore alle stanze romane dentro le quali si manovrano le leve dell'emergenza. La verità è che lo Stato non dispone di strumenti efficienti, né in quantità giusta né in qualità necessaria. Muove quel poco che ha, e quel poco, lo muove con mano maldestra.

C'è concordanza di testimonianze: colonne rimaste ferme per ore in attesa di ricevere disposizioni; inutili e dannose dispute su problemi di giurisdizio-

Nella chiesa di Balvano hanno trovato la morte circa 70 persone, quasi tutti vecchi e bambini.

Anche Teora si è come sbriciolata sotto la scossa sismica.

Un vecchio è rimasto solo, accanto alle rovine della sua abitazione.

A Laviano non resta ormai più nessuno: la gente va via, portandosi sulle spalle quel poco che è riuscito a salvare, mentre i soldati trasportano ancora vittime e le donne piangono i propri morti.

ne territoriale; consultazioni febbrili che hanno, quale unico risultato, di non portare nessuna chiarezza e di accrescere la tensione.

E' l'Italia ufficiale: l'Italia degli ordini e dei contrordini, delle leggi fumose e della loro improbabile attuazione; delle disposizioni incerte e delle interpretazioni vaghe.

Si poteva prevedere il terribile evento? Certo che si poteva. Gli esperti hanno affermato che il sisma è arrivato addirittura in ritardo rispetto alle previsioni. Si sarebbe potuto verificare tre anni fa. Un geologo del ministero dei Lavori Pubblici dice che la scossa era attesa: si sapeva perfino che sarebbe stata terribile, come quella del 1930.

Un altro studioso conferma che tutta l'area dell'Irpinia era in *ritardo sismico*. Tutta la zona era stata studiata attentamente come area di campione dal Consiglio nazionale delle ricerche nel quadro di un "progetto geodinamico" elaborato nel corso di cinque anni.

In base a quello studio, si era potuto apprendere che, intorno al 1977, fra la Campania e la Basilicata, si sarebbe verificato un terremoto di grandi proporzioni. Le indicazioni dei sismologi, per quanto allarmanti fossero, non trovarono eco. Certo non era pensabile un esodo delle popolazioni dai territori che, stando ai calcoli scientifici, sarebbero stati interessati dal sisma. Non si possono prendere sette milioni di persone e deportarle in massa. Ma si

poteva certamente predisporre tutto quanto era possibile in vista dell'emergenza.

L'Italia ufficiale non se n'è preoccupata. Se l'ha fatto, non è stata in grado di organizzarsi in modo da attenuare i danni e contenere il numero delle vittime, che ha invece un costo altissimo e irreparabile.

L'Italia ufficiale, del resto, non presta orecchio nemmeno ai rischi geologici, vale a dire al dissesto, all'alluvione, alla frana. Lo sfascio del territorio è presso che totale. A nulla sono serviti e a nulla sembra che servano gli appelli dei geologi che invocano immediate misure di risanamento e l'istituzione di servizi di emergenza. Il piano per la protezione civile è rimasto un remoto obiettivo la cui organizzazione procede con estrema lentezza e fra ostacoli di ogni genere. Le aree fabbricabili nelle zone soggette a prevedibili perturbazioni telluriche continuano, malgrado le leggi, a essere popolate da costruzioni fragili, tirate su con l'unico miraggio del guadagno facile e dell'aggio elettorale.

La terribile scossa tellurica abbattutasi sulla Campania e sulla Basilicata, già prevista dagli studiosi e attesa con terrore, ha sorpreso la macchina dello Stato, impreparata e distratta. L'Italia ufficiale non ha difese. Ha messo in campo, nel tempo minimo che la sorpresa le ha concesso, tutto quanto poteva, ben sapendo che non sarebbe stato sufficiente. L'approssimazione, la modestia amministra-

Sopravvissuti
improvvisano un rifugio
per ripararsi dal
maltempo che infuria
nei giorni seguenti al
terremoto.

Arrivano i soccorsi in
maniera disordinata.
Manca l'organizzazione
e così molti aiuti giunti
da ogni parte d'Italia
finiscono abbandonati
nelle strade infangate.

I vecchi vivono forse più tragicamente di tutti gli altri questi giorni terribili.

tiva, lo slacciamento dei centri operativi, sia locali che centrali, hanno fatto il resto.

Il ritardo è qui. E' nell'assenza presso che totale di ogni servizio di difesa civile di cui altri paesi (la Jugoslavia, per citare il più vicino) dispongono e tengono, continuamente, in attività. Una legge del 1970 prevede l'equipaggiamento e l'addestramento di un corso di volontari, tenuti a frequentare appositi corsi ministeriali. Sono passati dieci anni: i volontari non ci sono, non esiste alcuna traccia di equipaggiamento, i corsi non sono stati organizzati. Si stenta addirittura a credere che esista un ministero.

Quel "servizio sismico" che ogni paese soggetto ad attività tellurica ha da tempo organizzato, da noi aspetta ancora che qualcuno vi si dedichi e ne stabilisca l'istituzione. Ogni comune indicato in una apposita "mappa sismica" (che esiste ma che non è aggiornata) dovrebbe disporre di un piccolo corpo di volontari dotato di strumenti tecnici e di mezzi di soccorso capaci, nei momenti dell'emergenza, di affrontare le prime difficoltà in attesa che l'organizzazione dello Stato subentri e sopperisca alle necessità più complesse, mettendo in atto i grandi interventi risolutivi. Quel piccolo corpo di volontari potrebbe ridurre il numero delle vittime; disseppellendo, nel caso del terremoto chi ancora è in vita, e soccorrendo i feriti più gravi.

Ma è saggezza tardiva: tutto ciò che si riesce a fare con gli attuali mezzi della difesa civile, senza ricorrere cioè all'aiuto delle forze armate, non basterebbe per affrontare il crollo di un solo quartiere di Roma o di Milano.

Questa Italia ufficiale e disarmata è venuta a confronto, all'improvviso, con l'Italia che ha risposto all'appello delle popolazioni meridionali: un'Italia privata e spontanea, l'Italia che ad ogni pubblica calamità si offre in soccorso dello Stato stesso, confuso dall'improvvisazione e paralizzato dalle panie amministrative.

Un torrente di aiuti è sceso da ogni parte della penisola verso le zone terremotate: l'Italia del "privato" ha sopraffatto quella macchinosa della provvidenza ministeriale e dei servizi pubblici. L'Italia della carta da bollo nei primi momenti dell'emergenza ha preteso farraginose procedure burocratiche ai caselli autostradali attraverso i quali scorreva l'impetuoso torrente dei soccorsi; non è riuscita a distribuire gli aiuti secondo il bisogno, dando pane dove c'era bisogno di latte, e indumenti dove mancavano i medicinali. Intere colonne si sono viste intrappolate nel caotico groviglio di automezzi che non riuscivano ad andare né avanti né indietro. Più di un gruppo si è trovato nell'alternativa di riportare indietro il suo prezioso carico per non sapere a chi e dove lasciare i soccorsi. Tonnellate di pane e migliaia di scatole di latte sono rimaste ore e ore sotto

Nelle pagine seguenti: le prime tendopoli e i primi ospedali da campo, mentre anche i più piccoli e i più indifesi soffrono il freddo e tremendi disagi.

Pullman e autoambulanze militari si organizzano a S.
Angelo dei Lombardi, mentre arrivano finalmente le
roulottes.

la pioggia battente, immerse nel fango, perché nessuno aveva pensato di munirsi di grandi incerati o di
alzare un qualsiasi riparo contro le intemperie.

Di episodi che testimoniano la confusione delle
prime quarantotto ore sono pieni i giornali. I casi in
cui la macchina dello Stato ha rischiato di saltare
non si contano. Lo scollamento dei servizi pubblici
ha minacciato più volte di rendere vano l'entusia-
smo e l'abnegazione di chi è accorso, per fraterna

solidarietà, a dare aiuto ai fratelli colpiti dalla
sventura.

Si lavora con difficoltà allo sgombero delle zone
terremotate cercando di tenere lontani gli sciacalli,
gli speculatori, i ladri, i falsi profeti. Ora anche
l'Italia ufficiale lavora a fianco di quella "privata".
Bisogna impedire che la difesa civile continui ad
essere argomento da tavole rotonde. Magari collo-
cate, idealmente, sopra i cumuli delle macerie. E
non interrompere questa collaborazione finalmente
raggiunta, almeno fino a quando le due Italie non
coincideranno.

La casa è ormai distrutta, ma la tenda sorge proprio lì, accando a dove si era abitato fino a qualche giorno prima.

Si lavora febbrilmente per organizzare un campo di assistenza.

La pioggia scrosciante ha trasformato in un pantano il terreno dove sorgono le tende. Sotto, si vive come si può.

Alle pagine seguenti: volontari, soldati e vigili del fuoco si ristorano un attimo, dopo ininterrotte ore di massacrante lavoro.

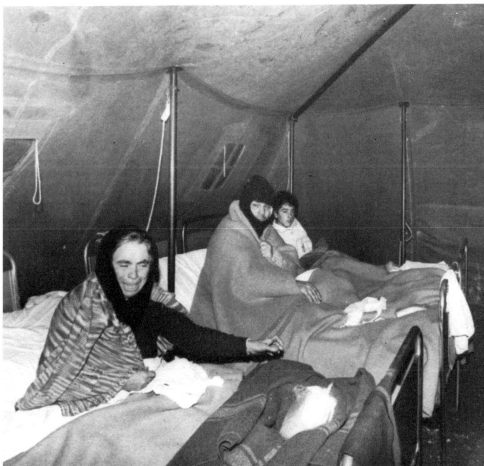

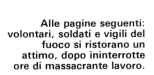

Finito di stampare
nel mese di dicembre 1980
dalla Zincografica Fiorentina
Firenze